À Gaspard et Florent
À Apolline, Héloïse, Constance,
Madeleine, Aristide et Bénédicte

Textes : Rémi Guichard, Françoise Bobe (La samba, Petit pouce a la frousse), domaine public
Conforme à la loi n° 49.956 du 16 juillet 1949
sur les publications destinées à la jeunesse.
© Éditions Nathan / VUEF, 2003
ISBN : 2-09-230007-8 pour le livre
ISBN : 2-09-230482-8 pour le pack livre + CD
N° d'éditeur : 10102455
Dépôt légal : septembre 2003
Imprimé en France par Mame Imprimeurs à Tours.

Comptines interprétées par Rémi

Illustrations de Annelore Parot

comptines et jeux de doigts

volume 2

NATHAN

Monsieur Bricolo

Avec ma main,
Je fais une cuillère,
Une fourchette,
Un couteau.
Avec ma main, je fais des merveilles :
Je suis Monsieur Bricolo.

Avec ma main,
Je fais le râteau,
Le marteau,
Les ciseaux.
Avec ma main, je fais des merveilles :
Je suis Monsieur Bricolo.

une cuillère

une fourchette

un couteau

6

A - vec ma main, je fais une cuil - lère, une fourchette,

un cou - teau. A - vec ma main, je fais des mer-veilles : je suis

Mon-sieur Bri-co - lo o.

un râteau

un marteau

des ciseaux

Que fait ma main ?

Que fait ma main ?
Elle caresse : doux, doux, doux.

Que fait ma main ?
Elle pince : aïe, aïe, aïe.

Que fait ma main ?
Elle chatouille : guili, guili, guili.

Que fait ma main ?
Elle danse : danse, danse, danse.

(bis)

Hey !

8

Que fait ma main ? Elle caresse : doux, doux, doux.

Que fait ma main ? Elle pince : aïe, aïe, aïe.

Que fait ma main ? Elle chatouille : guili, guili, guili.

Que fait ma main ? El - le danse : danse, danse, danse.

9

Prom'nons-nous dans les bois

Refrain :
Prom'nons-nous dans les bois
Pendant que le loup y est pas.
Si le loup y était, il nous mangerait.
Mais il n'y est pas, il nous mang'ra pas.

- Loup y es-tu ?
- Oui !
- Que fais-tu ?
- Je mets ma chemise !

(Refrain)

- Loup y es-tu ?
- Oui !
- Que fais-tu ?
- Je mets mes chaussettes !

(Refrain)
Et voilà !

Prom'nons - nous dans les bois pen-dant que le loup y est

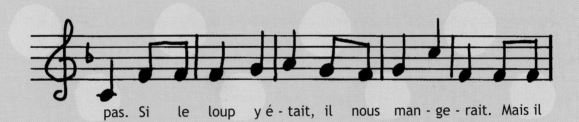

pas. Si le loup y é - tait, il nous man - ge - rait. Mais il

n'y est pas, il nous mang'-ra pas.

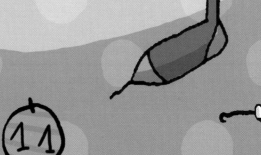

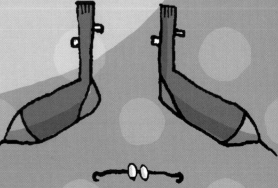

11

Petit-grand

À ta naissance tu étais petit, petit, petit,
Et tu ne marchais pas.
Mais tu grandis, tu grandis, grandis, grandis,
Et tu cours comme un petit chat.
Un, deux, trois,
Un, deux, trois,
Attrape-moi !

12

À ta naissance tu étais petit, petit, petit, et tu ne marchais pas.

Mais tu grandis, tu grandis, grandis, grandis, et tu cours comme un petit chat.

Un, deux, trois, un, deux, trois,

at - tra - pe - moi !

13

En grimpant au plus gros
J'ai eu mal au dos. (bis)

En grimpant au plus pointu
Je n'ai rien vu. (bis)

En grimpant au plus grand
J'ai perdu mes gants. (bis)

En grimpant au plus petit
Je me suis dit : " Ça suffit ! " (bis)

En grimpant au plus gros j'ai eu mal au dos.

En grimpant au plus gros j'ai eu mal au dos.   En grimpant au plus poin-tu

je n'ai rien vu.   En grimpant au plus grand j'ai perdu mes gants

En grimpant au plus petit je me suis dit : « Ça suffit ! »

15

Jean Petit qui danse

6

Jean Petit qui danse,(4 fois)
De ses mains il danse,(4 fois)
De ses mains, mains, mains, (bi...
Ainsi danse Jean Petit.

Jean Petit qui danse,(4 fois)
De ses bras il danse,(4 fois)
De ses bras, bras, bras, (bis)
De ses mains, mains, mains,
Ainsi danse Jean Petit.

Jean Petit qui danse,(4 fois)
De sa tête il il danse,(4 fois)
De sa tête,tête,tête, (bis)
De ses bras, bras, bras,(bis)
De ses mains, mains, mains,(bi...
Ainsi danse Jean Petit.

16

Les petits poissons dans l'eau
Nagent, nagent, nagent, nagent, nagent.
Les petits poissons dans l'eau
Nagent aussi bien que les gros.

Les petits les gros nagent comme il faut.
Les gros les petits nagent bien aussi.

(bis)

Le bal des fées [8]

Refrain :
Dix petits enfants s'en vont danser,
Ils sont invités au bal des fées.

Se font la révérence
Pour entrer dans la danse.

(Refrain)

Se prennent par le bras
Et comptent un, deux, trois.

(Refrain)

La danse se termine
Ils se font un baiser.

(Refrain)

La danse se termine
Ils se font un baiser.

20

Dix pe - tits en-fants s'en vont dan-ser, ils

sont in - vi - tés au bal des fées.

Se font la ré - vé - ren - ce pour en - trer dans

la danse. Dix...

la famille souris

Refrain:
La famille souris n'a plus peur du chat (bis)
Car il est parti, il a eu peur du rat. (bis)

Maintenant dans le grenier
Les souris peuvent danser
Sans même avoir l'idée
De se faire un jour croquer. (bis)

(Refrain)

Ils arrivent des prés,
Les cousins mulots
Pour passer la soirée
Blottis au coin du feu. (bis)

(Refrain)

Dans un trou du plancher
Elles ont fait une maison
Elles avaient froid au nez,
Elles ont mis alors du coton. (bis)

(Refrain)

Chut ! J'entends du bruit
Qui vient de l'escalier
Pensez-vous qu'se soit lui
Qui vient se faire un p'tit déjeuner. (bis)

La famille souris n'a plus peur du chat (bis)
J'ai fermé la porte, il ne rentrera pas ! (bis)

22

25

Dans la maison de Tom Pouce
On n'entend rien.
Dans la maison de Tom Pouce
On ne voit rien. (bis)

Alors je sonne,
On se réveille,
La cheminée fume,
La porte s'ouvre. (bis)

Bonjour Tom Pouce ! (bis)

26

12 la samba

Refrain :
Danse danse la samba
Danse danse comm'tu voudras
Moi je danse à petits pas
Danse danse comme moi

Jour et nuit sans faire de bruit
Je chante toujours dans ma tête
Je chante même à tue-tête
Danse danse la samba

(Refrain)

Mais quand vient l'heure de la fête
Là je chante à pleine voix
Et l'on ne m'arrête pas
Danse danse la samba

(Refrain, plusieurs fois, de plus en plus doucement)

.28.

Dan - se   dan - se   la   sam - ba   dan - se

danse comm' tu   vou - dras   moi   je   dan - se   à   pe - tits   pas...

29.

Une souris [13] verte

Une souris verte
Qui courait dans l'herbe
Je l'attrape par la queue,
Je la montr' à ces messieurs.
Ces messieurs me disent :
"Trempez-la dans l'huile,
Trempez-la dans l'eau,
Ça fera un escargot tout chaud." (bis)

Je la mets dans mon chapeau,
Elle me dit qu'il fait trop chaud.
Je la mets dans mon tiroir,
Elle me dit qu'il fait trop noir.
Je la mets dans ma chemise,
Elle me fait trois petites bises.
Je la mets dans ma culotte,
Elle me fait...
... trois petites crottes. (3 fois)

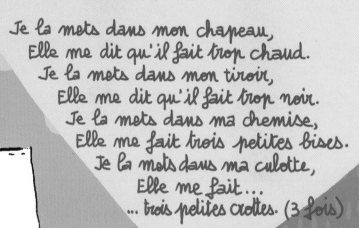

huile

30

U - ne sou - ris ver - te qui cou-rait dans l'her - be je l'at - tra - pe

par la queue, je la mon-tr'à ces mes-sieurs.

Ces mes-sieurs me di - sent : trem-pez - la dans l'hui - le,

trem-pez- la dans l'eau, ça fe - ra un escar-got tout chaud.

31

L'araignée GIPSY

L'araignée Gipsy,
Grimpe à la gouttière.
Tiens ! Voilà la pluie
Gipsy tombe par terre.
Mais le soleil
A chassé la pluie.

L'araignée Gipsy,
Grimpe à la gouttière...

32

15 Les cerfs volants

Refrain :
Les cerfs-volants
Dessinent dans le ciel
Des serpentins,
Des signaux,
Des appels.

Celui d'maman
Connaît très bien le vent
Il fait la course
Avec un goéland
Qui va gagner
Moi j'ai ma p'tite idée
J'paris deux sous que se sera maman

(Refrain)

Celui de papa
S'envole tout là-haut
Pour dessiner
Des cercles des rouleaux
Même les bateaux
S'arrêtent pour regarder
Le grand spectacle de nos drôles d'oiseaux

(Refrain)

Et mon p'tit frère
Qui s'appell' Nicolas
A des misères
À faire voler le sien
Monsieur Le Vent
Prends le dans ton élan
Fais-le danser au pays des géants

(Refrain)

Les cerfs-volants des-si-nent dans le ciel des

ser-pen-tins, des si-gnaux, des ap-pels.

35

Pomme de reinette et pomme d'api

Pomme de reinette et pomme d'api,
D'api, d'api rouge,
Pomme de reinette et pomme d'api,
D'api, d'api gris.
(4 fois)

Pomme de rei-nette et pomme d'a - pi, d'a - pi, d'a - pi rou - ge,

pomme de rei-nette et pomme d'a - pi, d'a - pi, d'a - pi gris.

7

Petit pouce va se cacher
Dès qu'il entend craquer
Les marches de l'escalier
Il se sauve quand le chat
Le suit à chaque pas
Et saute sur mes genoux

(Refrain)

Petit pouce disparaît
Dès qu'il entend claquer
Les volets mal fermés
Il attrape la tremblote
Dès qu'une souris trotte
Dès que crie le hibou

(Refrain)

Refrain :
Petit pouce a la frousse
Le jour comme la nuit
C'est plus fort que lui (bis)
Petit pouce a la frousse
C'est plus fort que lui
Au moindre bruit
Voici son abri (bis)

AINSI FONT, FONT, FONT

Ainsi font, font, font,
Les petites marionnettes
Ainsi font, font, font,
Trois p'tits tours et puis s'en vont (bis)

40

Ain - si   font, font,   font,   les pe -

ti - tes ma - rion - net - tes ain - si   font, font,

font,   trois p'tits   tours   et   puis s'en   vont.

L'alouette

L'alouette est sur la branche. (bis)
Faites un petit saut l'alouette, l'alouette,
Faites un petit saut l'alouette comme il faut.

Mettez vos bras en liance. (bis)
Faites un petit saut l'alouette, l'alouette,
Faites un petit saut l'alouette comme il faut.

Faites-nous trois pas de danse. (bis)
Faites un petit saut l'alouette, l'alouette,
Faites un petit saut l'alouette comme il faut.

Faites-nous la révérence. (bis)
Faites un petit saut l'alouette, l'alouette,
Faites un petit saut l'alouette comme il faut.

L'alouette est sur la branche. (bis)
Faites un petit saut l'alouette, l'alouette,
Faites un petit saut l'alouette comme il faut.

L'a-louette est sur la bran - che. L'a-louette est

sur la bran - che. Faites un pe - tit saut l'a - lou-

et - te, l'a-lou - et - te, faites un pe - tit

saut l'a - lou - et -te comme il faut.

43

L'eau qui coule

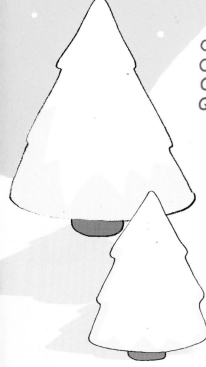

C'est l'eau qui coule coule coule (bis)
Qui nous arrive des nuages (bis)
Qui fait pousser les nénuphars (bis)
Qui fait coasser les grenouilles (bis)

C'est l'eau qui coule
Pour nous donner des fleurs
Et beaucoup de bonheur
C'est l'eau qui coule
Pour faire pousser la vie
Te rendre aussi joli

Tombe tombe tombe
C'est la neige qui tombe tombe tombe
En faisant une petite ronde (bis)
En recouvrant tout le jardin (bis)
Et même la cime des sapins (bis)

La neige tombe
Pour nous faire jouer
Dans les vallées enneigées
La neige tombe
Pour inviter
Le Père Noël à nous gâter (bis)

44

C'est l'eau qui cou - le cou - le coule qui nous ar - ri - ve des nu - ages

qui fait pous - ser les né - nu - phars qui fait co - as - ser les gre - nouil - les.

Brille brille brille
Le soleil brille brille brille
Pour nous faire la peau tout' bronzée (bis)
Pour nous rendre tout café au lait (bis)
Et oui l'été est arrivé (bis)

Le soleil brille
Comme un diamant en feu,
Un éclair dans le ciel
Le soleil brille
Et tout à coup la vie
Devient un paradis (bis)

Le soleil brille ...

45